★ ★ ★ ★ ★

추억의 퀴즈
테마 워크북

치매예방 두뇌 트레이닝

1

머리말

옛날 신문에서 풀던 숨은그림찾기, 틀린그림찾기, 가로세로 낱말퍼즐을 기억하시나요? 신문이 오면 오늘은 어떤 문제가 나올지 두근거리며 가족들이 모여 퀴즈를 풀던 추억이 아련합니다.

현재를 살아가다 보면 과거의 기억들은 자연스레 퇴색되곤 합니다. 그러나 가끔 어떤 자극을 통해 옛 시절 기억이 떠오를 때면 참 마음이 편안해지고 흐뭇해집니다.

이 책은 추억을 회상할 수 있는 10가지 테마로 재미있게 그 시절 추억들을 끌어내기 위해 기획되었습니다. 숨은그림찾기, 틀린그림찾기의 다양한 그림들을 보면 문제를 풀기 전에 그림을 보는 것만으로도 추억을 느끼실 수 있습니다. 예전 신문에서 풀던 화풍과 형식의 문제라 더욱 정감있게 집중력과 시공간능력을 키울 수 있습니다. 숨은글자찾기와 가로세로 낱말퍼즐의 여러 단어와 문제들도 언어능력, 기억력 등을 키울 수 있게 구성되어 있습니다.

옛 시절을 되돌아보면 기쁘고 즐거웠던 순간뿐만 아니라 다소 속상하고 후회되는 일도 있을 수 있습니다. 이 책을 통해 두뇌 트레이닝과 함께 잊고 살았던 과거의 페이지들을 한 페이지씩 꺼내 보며, 지나온 삶을 이해와 통합이라는 관점으로 행복하게 꺼내보게 되시기를 희망합니다.

저자 윤소영

이 책의 활용법

숨은그림찾기

보기   삼각자 구두 뱀 빨래판 사탕 솔 소주잔

- 보기를 보고 그림 속에 있는 숨은 그림을 찾아보세요.
- 그림과 관련한 추억에 대해 이야기를 나누어 보세요.

숨은글자찾기

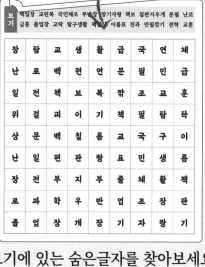

- 보기에 있는 숨은글자를 찾아보세요.
- 보기에 있는 단어와 관련된 추억을 이야기해 보세요.
- 보기의 단어를 설명해 보세요.

틀린그림찾기

- 양쪽 페이지의 그림을 비교해 보고 틀린 그림 10개를 찾아 오른쪽 페이지에 ○ 해 보세요.
- 회상일기 주제를 보고 그림과 관련한 회상일기를 적어 보세요.

가로세로 낱말퍼즐

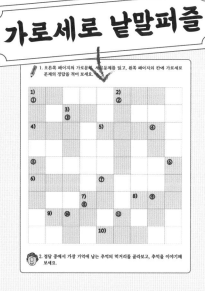

- 문제를 읽고 가로세로 낱말퍼즐을 풀어보세요. (출제자가 문제를 읽어드리고 구두로 맞히시면 적어드려도 됩니다.)
- 정답과 관련된 추억을 나누어 보세요.
- 정답을 가지고 뜻을 설명해 보세요.

목차

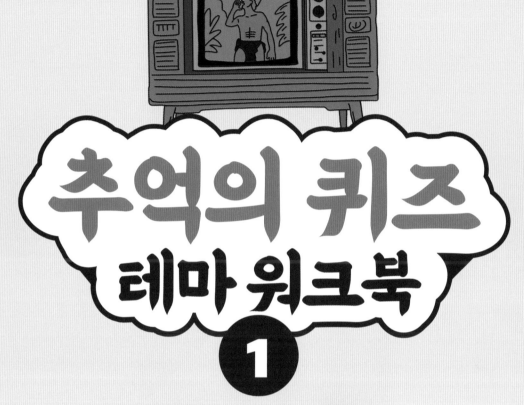

추억의 퀴즈
테마 워크북
1

숨은
그림찾기

숨은
글자찾기

틀린
그림찾기

가로세로
낱말퍼즐

숨은 그림찾기
01 추억의 만원 버스

년   월   일

시작시간 ☐ 시 ☐ 분   종료시간 ☐ 시 ☐ 분

🔍 1. 아래 그림에는 그림 7개가 숨어 있어요.

🔍 2. 보기에 나오는 단어를 보고 그림에서 숨은 그림을 찾아 ○ 해 보세요.

보 기	연 스프링노트 컵 수박 연필 압정 눈사람

학창시절

년 월 일

시작시간 ☐ 시 ☐ 분   종료시간 ☐ 시 ☐ 분

🔍 아래 표에는 보기의 단어들이 숨어 있어요.
가로, 세로, 대각선 방향으로 숨어 있는 글자들을 찾아 표시해 보세요.

보기

백일장 교련복 국민체조 부반장 장기자랑 책보 칠판지우개 분필 난로
급훈 졸업장 교탁 탐구생활 책걸상 이름표 전과 연필깎기 전학 교훈

장	탐	교	생	활	급	국	연	체
난	로	백	련	연	분	필	민	급
일	전	책	보	복	깎	조	교	훈
위	걸	괴	이	기	책	필	탐	탁
상	문	백	칠	름	교	국	구	이
난	일	편	판	랑	표	민	생	름
장	전	부	지	부	줄	체	활	책
로	과	학	우	반	업	조	장	판
졸	업	장	개	장	기	자	랑	기

틀린 그림찾기 01

국민학교 입학식 날

년 월 일

시작시간 ☐ 시 ☐ 분　　　종료시간 ☐ 시 ☐ 분

 1. 양쪽 페이지의 그림을 비교해 보고 틀린 그림 10개를 찾아 오른쪽 페이지에 ○ 해 보세요.

2. 회상일기 주제를 보고 그림과 관련한 회상일기를 적어 보세요.

가로세로
낱말퍼즐
01

학창시절

년 월 일

시작시간 ☐ **시** ☐ **분**   **종료시간** ☐ **시** ☐ **분**

 1. 오른쪽 페이지의 가로문제·세로문제를 읽고, 왼쪽 페이지의 칸에 가로세로 문제의 정답을 적어 보세요.

①		1) ②		③		2)	④
3)		3)					
				4)		⑤	
	5)				6)		
⑥			7)		⑦		
8)						9)	⑧
			10)	⑨		⑩	
11)	⑪						
			12)		13)		

 2. 정답 중에서 학창시절 추억 중 가장 기억에 남는 단어를 골라 추억을 이야기 해 보세요.

1) 버스에 안내양이 타던 시절, 안내양이 '○○○'라고 외치면 버스가 출발했어요.

2) 졸업식에서 후배들이 선배들을 떠나보내며 하는 말로 답사의 반대말이예요.

3) 예전에는 '양은 ○○○'을 난로 위에 올려놓고 데워서 먹기도 했지요. 이것에 소시지, 계란후라이 반찬을 싸온 친구들은 부러움의 대상이 되었지요.

4) 여러 명이 말을 만든 다음 한 사람이 올라타서 다른 말을 탄 사람과 겨루어 쓰러뜨리거나 모자를 빼앗는 놀이로, 주로 운동회때 했었지요.

5) 전교를 대표하는 장을 '전교○○'이라고 불렀어요.

6) 학생의 예능 발표와 학예품 전시를 공개적으로 하는 행사로, 이것을 위해 그림이나 문집 등을 제출하기도 했었지요.

7) 여러 가지 운동경기를 하는 행사로 청군 백군으로 나누어 시합을 했었죠.

8) 예전 화장실을 부르던 말이예요.

9) 발로 페달을 밟아 바람을 넣어 소리를 내는 건반 악기

10) 두 편으로 나누어 굵은 밧줄을 잡아 당겨 승부를 겨루는 놀이

11) 반장, 부반장을 뽑을 때 이것을 하지요.

12) 옛날에는 학교에서 이 동물을 키우기도 했어요. 귀가 긴 동물로 풀을 좋아해요.

13) 먼 거리에서 전근 오신 선생님들을 위해 학교 근처에 마련한 숙소

① 학생들이 교칙을 지키도록 감독하는 부서로, 노란 완장을 차고 다녔어요.

② 오락 시간에 앞장서서 분위기를 이끄는 사람을 이르는 말

③ 머리에 생긴 서캐와 이를 잡는 활동

④ 주로 풍경을 대상으로 그림을 그려 실력을 겨루는 그림 그리기 대회

⑤ 다니던 학교에서 다른 학교로 옮겨 가는 것

⑥ 기생충 검사를 하기 위하여 대변을 받아 담는 봉투로, 예전에는 매년 이것을 학교에 제출해야 했었죠.

⑦ 때릴 때 쓰는 나뭇가지로 '매'라고도 불렀어요.

⑧ 운동회 달리기에서 1등을 하면 이것을 목에 걸어 주었어요.

⑨ 속눈썹 뿌리에 균이 들어가 눈가가 발갛게 곪아서 생기는 것으로, 이것에 걸리면 안대를 하고 학교에 갔었어요.

⑩ 학교에서 학생에게 숙식을 제공하는 시설

⑪ 훌륭한 행실을 한 학생을 칭찬하면서 주는 상을 '○○장'이라고 불러요.

숨은 그림찾기

02 추억의 빵집

년 월 일

시작시간 ▢시 ▢분　　　종료시간 ▢시 ▢분

🔍 1. 아래 그림에는 그림 7개가 숨어 있어요.

2. 보기에 나오는 단어를 보고 그림에서 숨은 그림을 찾아 ○ 해 보세요.

보 기	삼각짜 구두 뱀 빨래판 사랑 솔 소주잔

먹거리

시작시간 ☐ 시 ☐ 분   종료시간 ☐ 시 ☐ 분

🔍 아래 표에는 보기의 단어들이 숨어 있어요.
가로, 세로, 대각선 방향으로 숨어 있는 글자들을 찾아 표시해 보세요.

보기

옥수수 식혜 막걸리 쫀디기 붕어빵 술빵 군고구마 군밤 오란다
종합선물세트 단팥빵 꽈배기 별사탕 왕사탕 불량식품 미숫가루

배	꽈	옥	군	쫀	기	옥	쫀	단
미	밤	배	밤	고	수	왕	디	별
단	숫	쫀	기	수	구	팥	사	사
팥	미	디	막	붕	어	마	빵	탕
빵	숫	기	불	걸	붕	어	단	미
종	가	량	오	혜	리	어	술	숫
합	식	란	미	숫	가	루	빵	오
품	종	합	선	물	세	트	단	란
군	고	구	식	혜	마	세	군	다

추억의 먹거리

틀린 그림찾기
02 귀한 바나나

시작시간 [ ]시 [ ]분　　　종료시간 [ ]시 [ ]분

 1. 양쪽 페이지의 그림을 비교해 보고 틀린 그림 10개를 찾아 오른쪽 페이지에
○ 해 보세요.

2. 회상일기 주제를 보고 그림과 관련한 회상일기를 적어 보세요.

바나나가 참 귀했던 시절이 있었지요?
바나나와 관련된 추억을 적어 보세요.

년   월   일

가로세로 낱말퍼즐 02 먹거리

시작시간 ☐ 시 ☐ 분   종료시간 ☐ 시 ☐ 분

 1. 오른쪽 페이지의 가로문제·세로문제를 읽고, 왼쪽 페이지의 칸에 가로세로 문제의 정답을 적어 보세요.

1) ①				2) ②			
3) ③							
4)			5)		④	
⑤						⑥
6)		⑦				
	7) ⑧			8)	⑨	
9) ⑩			⑪		
		10)			

2. 정답 중에서 가장 기억에 남는 추억의 먹거리를 골라보고, 추억을 이야기해 보세요.

1) ○○밥은 쌀이 귀하던 시절 많이 먹던 음식이죠. 소화가 잘 되어서 배가 금방 꺼졌지요.

2) 작은 투명 빨대같은 대롱 안에 들어 있는 것을 쪽쪽 빨아먹던 불량식품이예요.

3) ○○떡은 멥쌀가루를 쪄서 팥소를 넣고 반으로 접은 후, 반달 모양이 나게 누르면서 바람이 들어가게 만든 떡이예요. 개피떡이라고도 해요.

4) 불 위에 국자를 올리고 설탕과 소다를 넣어 끓여 먹던 간식이예요.

5) 계란, 밀가루, 설탕 등을 넣고 네모난 기계에 넣으면 고소하고 맛있는 이것이 만들어졌지요. 한동안 집집마다 이 빵 만들기가 유행했었어요.

6) 밀가루 반죽을 동그랗고 얇게 부친 전

7) 밀가루 반죽 속에 팥이나 야채 등 소를 넣고 김에 쪄서 먹는 빵으로 주로 겨울에 많이 먹었어요. 슈퍼에 칸칸이 놓여진 이 빵을 그냥 지나치기 어려웠죠.

8) 쌀, 옥수수 등을 기계에 넣어 밀폐하고 가열하여 튀겨 낸 과자예요. 튀겨져 나올 때 뻥 하는 소리가 나서 지어진 이름이예요.

9) 시험에 착 붙으라고 주로 합격 기원 선물로 주는 떡이예요.

10) 생강이나 계피를 달인 물에 설탕이나 꿀을 넣고 끓여서 식힌 후 곶감이나 잣을 띄워 마시는 전통 음료

① 둥근 모양의 달을 닮은 빵 이름으로, 슈퍼에서 인기 있는 빵이었죠.

② 여름철 이 장수들의 '○○○○○'라고 외치면 동네 아이들이 몰려들었지요. 시원한 얼음과자입니다.

③ 노랗고 긴 과일인 이것은 예전엔 아주 아주 귀한 과일이었어요.

④ 물에 면과 스프를 넣고 끓여 먹는 음식으로, 1963년에 처음 생긴 음식이라고 해요.

⑤ "○○○ 사려~" 긴긴 겨울밤 골목에서 들리던 ○○○ 장수의 소리가 기억나시나요? 묵의 한 종류입니다.

⑥ 이것은 고깔 모양으로 만 신문지에 담아서 이쑤씨개로 찍어 먹던 대표적인 길거리 음식이예요. 고소한 고단백 간식이었지요. 갈색이고 곤충과 관련이 있어요.

⑦ 수분과 당분을 적게 하여 딱딱하게 구운 마른 과자로, 군대에서도 많이 먹었지만 간식으로도 많이 먹던 과자예요.

⑧ 찹쌀가루를 반죽하여 설탕으로 소를 넣고 둥글납작하게 구운 간식으로, 주로 겨울에 많이 먹었어요. 중국과 한국에서 주로 먹어요.

⑨ 튀긴 쌀, 튀긴 옥수수 등을 말해요.

⑩ 쌀로 쑨 죽

⑪ 찹쌀가루, 꿀, 엿기름 등을 재료로 만든 전통과자로 제사상에도 많이 올리죠.

숨은 그림찾기

03 새색시 송편 빚기

시작시간 ☐시 ☐분   종료시간 ☐시 ☐분

🔍 1. 아래 그림에는 그림 7개가 숨어 있어요.

✏️ 2. 보기에 나오는 단어를 보고 그림에서 숨은 그림을 찾아 ○ 해 보세요.

보 기	입술 거북이 촛불 왕관 지팡이 장지갑 등산화

명절·절기

시작시간 ☐ 시 ☐ 분   종료시간 ☐ 시 ☐ 분

🔍 아래 표에는 보기의 단어들이 숨어 있어요.
가로, 세로, 대각선 방향으로 숨어 있는 글자들을 찾아 표시해 보세요.

보기 동지팥죽 처서 하지 수리취떡 경칩 대서 상강 입동 소한 벌초
명절증후군 추석빔 차례상 귀성객 기차예매 세뱃돈 고향 복조리

한	동	리	복	경	추	석	처	빔
대	서	조	동	칩	세	뱃	돈	서
수	리	차	지	죽	입	동	벌	향
성	례	경	팥	칩	귀	성	객	초
상	기	소	죽	명	수	한	벌	지
매	예	한	강	소	절	리	상	강
추	하	수	리	취	떡	증	떡	취
명	석	지	벌	고	초	향	후	고
상	절	빔	향	기	차	예	매	군

틀린 그림찾기 **03**

설날 준비

시작시간 ☐ 시 ☐ 분　　　종료시간 ☐ 시 ☐ 분

🔍 1. 양쪽 페이지의 그림을 비교해 보고 틀린 그림 10개를 찾아 오른쪽 페이지에 ○ 해 보세요.

2. 회상일기 주제를 보고 그림과 관련한 회상일기를 적어 보세요.

명절·절기

년 월 일

시작시간 ☐ 시 ☐ 분　　종료시간 ☐ 시 ☐ 분

1. 오른쪽 페이지의 가로문제·세로문제를 읽고, 왼쪽 페이지의 칸에 가로세로 문제의 정답을 적어 보세요.

①		1) ②			③		
2)	④			3)			
		4)	⑤				
	5)		6)	⑥			⑦
⑧		⑨			7) ⑩		
8)	⑪	9)	⑫				
	10)				11)		
12) ⑬		⑭		⑮			
	13)				14)		

2. 정답 중에서 명절이나 절기에 가장 기억에 남는 단어를 골라 추억을 이야기 해 보세요.

1) 아버지 쪽 형제자매의 아들이나 딸과의 촌수로, 어머니 쪽은 '이종○○'이라고 하죠.

2) 추석의 다른 말로, 8월 한가운데 있는 큰 날이라는 뜻을 가지고 있어요.

3) 고기와 야채를 잘게 다져 동글납작하게 만든 뒤 달걀을 씌워 지진 전

4) 명절에 부모님을 뵙기 위해 고향으로 가는 것

5) 둥글고 길게 뽑은 흰 떡을 얇게 썰어 넣고 끓인 설날 대표 음식

6) 묘가 있는 곳

7) 서로 친하게 가깝게 지내는 사람으로, 명절이나 경조사에 함께 하는 경우가 많아요.

8) 같은 학교를 졸업한 사람으로, 명절날 고향에서 오랜만에 모이기도 하죠.

9) 설날 새벽에 사서 벽에 걸어두면 복을 받을 수 있다고 했던 물건이예요. 예전에는 정월 초하루 전날 밤부터 이것을 사라고 외치는 장수들이 있었지요.

10) 선물이나 물건을 싸고 꾸미는 것을 이것 한다고 하죠.

11) '아저씨' '아주버니'의 낮춤말

12) 먹을 수 있는 풀로, 명절에 고사리, 도라지 등으로 이것 요리를 해요.

13) 편앵두를 꿀에 재었다가 꿀물에 넣은 화채로, 단오에 이것을 먹었죠.

14) 제사 지낼 때 위패를 대신하여 종이에 적는 것으로, 제사가 끝나면 태우죠.

① 가장 추운 때라는 뜻을 가진 절기로, 소한 뒤부터 입춘 전까지의 절기예요.

② 딸의 남편을 부르는 호칭으로, ○○는 백년손님이라고 하죠.

③ 놋쇠로 만든 그릇으로, 제사 때 이것을 사용하는 집들도 있어요.

④ 둥글고 가늘고 길게 뽑은 흰 떡으로, 주로 국을 끓여 먹거나 구워서 먹어요.

⑤ 명절에 조상의 묘를 찾아가서 손질하는 것을 이것이라고 하죠

⑥ 대나무를 얇게 쪼개어 둥글게 짠 그릇으로, 전을 부치면 여기에 담아두기도 해요.

⑦ 1년 중 밤이 가장 긴 날로, 팥죽을 먹는 풍습이 있는 날이예요.

⑧ 설날이나 추석 같은 명절에는 '민족대○○'이 시작되지요.

⑨ 제사에 올렸던 술이나 제물 등을 나누어 먹는 의식

⑩ 아버지의 아버지를 부르는 말이예요.

⑪ 예전에는 단오에 이것으로 머리를 감거나 목욕을 하는 풍습이 있었어요.

⑫ 돌아가신 부모님 위의 어른들이나 이전 세대를 뜻해요.

⑬ 세상에 나서 산 햇수로 설날에 이것 한 살 더 먹게 되죠.

⑭ 밀가루를 반죽하여 소를 넣어 빚는 음식으로, 찌거나 구워서 먹지요.

⑮ 손으로 흔들어 더위를 식히는 물건으로, 단오에 이것을 만드는 풍습이 있어요.

추억의 놀이

숨은 그림찾기
04

쌩쌩 얼음 썰매

시작시간 ☐ 시 ☐ 분   종료시간 ☐ 시 ☐ 분

1. 아래 그림에는 그림 7개가 숨어 있어요.

2. 보기에 나오는 단어를 보고 그림에서 숨은 그림을 찾아 ○ 해 보세요.

보 기	양말 편지봉투 야구공
	벙어리 장갑 숟가락 빵 종이배

숨은 글자찾기 04 추억의 놀이

시작시간 □시 □분   종료시간 □시 □분

 아래 표에는 보기의 단어들이 숨어 있어요.
가로, 세로, 대각선 방향으로 숨어 있는 글자들을 찾아 표시해 보세요.

보기

땅따먹기	줄넘기	동대문놀이	제기	풀싸움	소꿉놀이
썰매타기	만화책	쥐불놀이	고고장	스케이트	숨바꼭질
버들피리	얼음땡	그네타기	팽이	음악다방	

쥐	불	놀	이	줄	숨	음	악	방
고	소	꿉	썰	넘	바	만	화	책
고	땅	따	먹	기	꼭	동	음	스
장	버	들	소	그	질	그	악	케
동	풀	싸	움	꿉	네	땅	다	썰
팽	대	얼	제	타	놀	따	방	매
소	꿉	문	기	케	팽	이	트	타
얼	음	땡	놀	버	들	피	리	기
놀	이	스	케	이	트	풀	싸	리

년 월 일

틀린 그림찾기 04

공기 놀이

시작시간 ☐시 ☐분　　　종료시간 ☐시 ☐분

 1. 양쪽 페이지의 그림을 비교해 보고 틀린 그림 10개를 찾아 오른쪽 페이지에
○ 해 보세요.

2. 회상일기 주제를 보고 그림과 관련한 회상일기를 적어 보세요.

회상일기 어릴 때 하고 놀았던 기억나는 놀이들을 적어 보세요.

가로세로
낱말퍼즐
추억의 놀이
04
시작시간 ☐ 시 ☐ 분   종료시간 ☐ 시 ☐ 분

추억의 놀이

 1. 오른쪽 페이지의 가로문제·세로문제를 읽고, 왼쪽 페이지의 칸에 가로세로 문제의 정답을 적어 보세요.

①		②		1)		③		④
2)				⑤				
							3)	
	4)			5)				
⑥			⑦				⑧	
				6)				
7)		⑨						
				8)				

 2. 정답 중에서 가장 추억에 많이 남는 답을 골라 그때의 추억을 이야기해 보세요.

1) 축구공이 없던 시절, 이것 안에 바람이나 물을 넣어 차고 놀았어요. 동물 내장 중에 하나로, 질긴 특징이 차고 놀기에 적합했었죠.

2) 긴 막대 아래에 스프링이 달려있는 놀이기구로, 주로 아이들이 두 발을 올려놓고 통통 뛰며 놀던 기구입니다.

3) 조그맣고 동그란 돌을 가지고 던져 손으로 잡으며 노는 놀이. ○○놀이

4) 주로 여자 아이들이 종이로 된 이것을 잘라서 옷을 입히고 꾸미며 놀았어요. ○○놀이를 하며 예쁜 옷과 장신구를 마음껏 입혀보고 좋아했었어요.

5) 고무바퀴 2개가 달린 운반용 손수레로, 이것에 타거나 끌어주며 놀기도 했죠.

6) 수비 편에서 한 명은 벽에 서서 기대고, 다른 사람들은 엎드려 말을 만듭니다. 공격 편이 수비 등에 올라타 벽에 기댄 사람과 가위바위보를 겨루는 놀이입니다.

7) 여러 명 중 한 사람이 술래가 되어 숨은 사람을 찾아내는 놀이로, 술래에게 들킨 사람이 다음 술래가 되었어요.

8) 술래가 둥글게 둘러앉은 사람들을 돌다가 한 사람 뒤에 수건을 놓는 놀이로, 주로 소풍 가서 많이 하고 놀았어요.

① 마술이나 곡예, 동물의 묘기 따위를 보여주는 공연을 말해요. 동네에 이 공연이 오면 사람들이 많이 모여들었지요.

② 세 명의 못난 아이가 앉아 있는 인형으로 집집마다 많이 가지고 있었어요.

③ 동전을 넣고 오락 게임을 할 수 있도록 시설이 되어 있는 곳

④ 물건의 이름이 적힌 종이를 여러 곳에 숨겨 놓고, 종이를 찾은 사람에게 적힌 물건을 상품으로 주는 놀이로, 소풍가서 많이 했었지요.

⑤ 남의 콩밭에 들어가 몰래 콩을 훔치는 일이나 훔친 콩을 구워 먹는 일

⑥ 여러 사람이 손을 잡고 빙빙 돌면서 춤을 추고 노래를 부르는 민속놀이

⑦ 긴 널빤지 양쪽 끝에 한 사람씩 올라서서 번갈아 뛰어오르는 놀이로 여자들이 주로 했었어요.

⑧ 여름에 겉은 초록색에 줄무늬가 있고 속은 빨간 과일을 몰래 따먹던 장난

⑨ 일정한 이름을 가지고 정기적으로 간행하는 출판물. 옛날 이것으로 「주부생활」 「월간 스포츠」 「TV가이드」 등이 있었어요.

숨은
그림찾기
05 트위스트

시작시간 [ ]시 [ ]분   종료시간 [ ]시 [ ]분

1. 아래 그림에는 그림 7개가 숨어 있어요.

2. 보기에 나오는 단어를 보고 그림에서 숨은 그림을 찾아 ○ 해 보세요.

보 기	참빗	국자	모종삽	
	한반도 지도	종	그릇	가지

숨은 글자찾기 05 가수

시작시간 [ ] 시 [ ] 분   종료시간 [ ] 시 [ ] 분

🔍 아래 표에는 보기의 단어들이 숨어 있어요.
가로, 세로, 대각선 방향으로 숨어 있는 글자들을 찾아 표시해 보세요.

보기

현철 조용필 패티김 배호 김추자 비틀즈 김정구 이은하 산울림
서유석 혜은이 영탁 송대관 토끼소녀 남궁옥분 정태춘 장덕

이	은	송	김	조	항	송	대	관
은	혜	추	정	용	구	비	남	이
정	자	은	혜	필	조	김	틀	은
태	서	토	이	은	하	남	추	즈
춘	유	산	끼	남	궁	배	배	하
토	석	울	울	옥	서	호	영	탁
조	끼	장	분	림	패	티	김	자
영	덕	소	비	즈	현	유	정	탁
필	비	틀	녀	용	탁	철	구	영

추억의 노래·가수

틀린 그림찾기
05

쇼 쇼 쇼

시작시간 ☐ 시 ☐ 분   종료시간 ☐ 시 ☐ 분

 1. 양쪽 페이지의 그림을 비교해 보고 틀린 그림 10개를 찾아 오른쪽 페이지에 ○ 해 보세요.

2. 회상일기 주제를 보고 그림과 관련한 회상일기를 적어 보세요.

예전에 좋아했던 가수와 노래 제목들을 적어 보세요.

가로세로
낱말퍼즐

05 노래·가수

시작시간 ☐시 ☐분   종료시간 ☐시 ☐분

 1. 오른쪽 페이지의 가로문제·세로문제를 읽고, 왼쪽 페이지의 칸에 가로세로
문제의 정답을 적어 보세요.

1)	①			②		2)		③
			3)					
4)		④				5) ⑤		
		6)						
				7)	⑥			⑦
8) ⑧								
				⑨			⑩	
9)				10)			11)	
		12)				13)		

 2. 정답 중에서 가장 좋아했던 가수는 누구일까요? 좋아했던 이유도 이야기해
보세요.

1) <어머나> <짠짜라> <목포행 완행열차>를 부른 가수로, 아나운서 남편이 있죠.

2) 서태지와 ○○○을 기억하시나요? 90년대 혜성처럼 나타난 남자 3인조 팀입니다.

3) <환희> <아! 대한민국> <바람이었나>를 부른 여가수입니다. 시원시원한 가창력이 매력인 가수로, <아! 대한민국>은 전국적인 사랑을 받았었죠.

4) <아침이슬> <세노야 세노야> <이루어질 수 없는 사랑>을 부른 여자 가수

5) 7살에 데뷔한 여가수로, <잘했군 잘했어> <날버린 남자>를 불렀습니다.

6) <날 보러 와요> <올 가을엔 사랑할거야>를 부른 여가수입니다.

7) <아파트> <황홀한 고백> <사랑만은 않겠어요>를 부른 남자 가수로, 이국적인 잘생긴 외모가 눈길을 사로잡았죠.

8) 엘레지의 여왕'이라고 불리는 여자 가수입니다. <동백아가씨> <열아홉 순정> <여자의 일생> 등 많은 히트곡들이 있지요.

9) '인생은 나그네길~~'노래를 들으면 누가 생각나세요? <하숙생> <맨발의 청춘>을 부른 남자 가수로 성은 최씨예요. 최○○

10) <안동역에서> <보릿고개> <태클을 걸지마>를 부른 남자 가수는 누구일까요?

11) 미스터트롯 진을 한 남자 가수로 성은 임씨예요. 임○○

12) <고향역> <홍시> <영영> <사랑은 눈물의 씨앗> 등 수많은 히트곡을 낸 남자 가수입니다. 남진과 함께 대표적인 국민가수였지요.

13) '서○○과 하○○'이라는 2인조 가수 중 서○○입니다. <동물농장> <과수원길>이 히트곡입니다.

① 한국에 미니스커트를 유행시킨 여가수로, <여러분>을 불렀어요. 오빠는 ○향기예요.

② '작은 거인'이라는 별명을 가진 남자 가수입니다. <못다핀 꽃 한송이> <젊은 그대> <정신차려> 등 히트곡이 있습니다.

③ 전인권이 속해 있는 꽃이름으로 된 밴드로, <행진> <걱정말아요>를 불렀어요.

④ 희자매, 펄시스터즈 등과 함께 인기를 끌었던 원조 걸그룹입니다. <마포종점> <삼천포 아가씨> 등 히트곡이 있습니다. 멤버는 박애경, 오숙남.

⑤ <동물농장> <과수원길>을 부른 '서○○과 ○○○'이라는 2인조 가수 중 ○○○입니다.

⑥ '그대~ 앞에만 서면~~'국민 히트곡 <애모>를 부른 여자 가수입니다. 김○○

⑦ <빙글빙글> <인디언 인형처럼> <영원한 친구> 등을 부른 여자 가수입니다.

⑧ <나 그대에게 모두 드리리> <그건 너>를 부른 남자 가수입니다.

⑨ 화려한 옷차림이 눈에 띄는 남자 가수로, <옥경이> <사랑은 아무나 하나> <미안 미안해>를 부른 가수입니다.

⑩ <화개장터>를 부른 가수로, 화가로도 활동하고 있는 남자 가수입니다.

숨은 그림찾기
06

계곡 물놀이

년 월 일

시작시간 ☐시 ☐분 　　종료시간 ☐시 ☐분

🔍 1. 아래 그림에는 그림 7개가 숨어 있어요.

　　2. 보기에 나오는 단어를 보고 그림에서 숨은 그림을 찾아 ○ 해 보세요.

보 기	식칼　　　사람 얼굴　　　아이스크림
	새총　　　버섯　　　생선　　　모자

년   월   일

시작시간 ☐ 시 ☐ 분   종료시간 ☐ 시 ☐ 분

🔍 아래 표에는 보기의 단어들이 숨어 있어요.
가로, 세로, 대각선 방향으로 숨어 있는 글자들을 찾아 표시해 보세요.

보기	단풍놀이 패키지 여행사 관람료 해외여행 세계일주 가이드 전망차 드라이브 호텔 콘도 피서철 텐트 신혼여행 사진사 코펠 트렁크 공항

텐	드	세	트	피	서	철	드	텐
패	드	라	게	렁	신	여	라	코
가	키	단	이	일	행	혼	이	펠
이	텐	지	풍	사	주	해	브	드
트	관	트	콘	놀	가	이	외	관
람	렁	해	도	가	이	드	람	여
크	피	외	서	철	전	료	호	행
신	혼	여	행	호	망	공	항	텔
버	스	행	트	렁	차	사	진	사

06 그 시절 피서

년 월 일

시작시간 ⬜ 시 ⬜ 분   종료시간 ⬜ 시 ⬜ 분

🔍 1. 양쪽 페이지의 그림을 비교해 보고 틀린 그림 10개를 찾아 오른쪽 페이지에
○ 해 보세요.

2. 회상일기 주제를 보고 그림과 관련한 회상일기를 적어 보세요.

옛날에 피서는 주로 어디로 가셨어요?
어떤 피서가 가장 기억에 남는지 적어 보세요.

가로세로 낱말퍼즐 **06** **여 행**

년   월   일

시작시간 ☐ 시 ☐ 분   종료시간 ☐ 시 ☐ 분

✏️ 1. 오른쪽 페이지의 가로문제·세로문제를 읽고, 왼쪽 페이지의 칸에 가로세로 문제의 정답을 적어 보세요.

1)		①			2)	②		③
		3)		④				
4)	⑤			5)			6)	
					⑥			
	7)			8) ⑦		⑧		
9) ⑨		10)	⑩			11)	⑪	
					⑫			
12)	⑬		13)	⑭				
						14)		

👵 2. 정답 중에서 여행과 관련해서 가장 기억에 남는 단어를 찾아 ○ 해 보세요. 그 단어를 고른 이유를 이야기해 보세요.

1) 산이나 호수, 섬 등의 둘레에 산책할 수 있도록 만든 길

2) 숙박을 하지 않고 하루에 끝내는 여행

3) 경상남도에 속하는 섬으로 제주도 다음으로 큰 우리나라 제2의 섬

4) 소풍이나 나들이를 갈 때 풀밭에 깔아놓고 앉는 도구

5) 세계 각 지역간 시간 차이. 해외여행 후 귀국하면 이것 적응하는데 시간이 걸려요.

6) 작은 예술 작품. 여행을 가면 이것 구경하는 재미가 있어요.

7) 여행으로 인해 생긴 피로나 병

8) 여행하는데 드는 돈

9) 여행을 함께 가는 사람들 무리

10) 관광지에 들어갈 때 내고 들어가는 표

11) 사람의 힘이 더해지지 않고 생긴 산, 강, 바다, 식물, 동물 등을 말해요.

12) 석가모니의 치아, 사리를 모신 탑. 경주 불국사 대웅전 앞의 두 탑 중 서쪽의 탑

13) 편히 쉬거나 다양하게 놀 수 있는 시설을 갖춘 숙박 시설

14) 종류가 다른 돈을 교환하는 것. 보통 달러로 이것을 많이 하지요.

①사람이나 차가 다니는 길. 여행을 가면 ○○○음식을 먹는 재미도 있지요.

②그날 해야 할 일의 계획을 날짜별로 짜 놓은 계획. ○○표

③기념으로 사는 물건. 여행지의 이것을 구경하고 사는 것도 즐거워요.

④작은 그릇에 밥과 반찬을 곁들여 담는 통

⑤여행사에 의뢰하지 않고 자유롭게 다니는 여행으로 패키지 여행의 반대말

⑥산길을 걸어가는 것

⑦외국을 여행하는 사람의 신분이나 국적을 증명하는 문서로, 외국행 비행기를 탈 때는 필수로 있어야 하지요.

⑧외국인에 대한 출입국을 허가하는 증명

⑨비행기나 배에서 최고 서비스가 제공되는 제일 좋은 좌석

⑩먼 거리 여행을 ○○○여행이라고 해요. ○○○연애라는 말도 있어요.

⑪비행기, 기차, 배 등이 정해진 시간보다 늦게 도착 하는 것을 말해요.

⑫펜션이나 콘도에 여행가면 여기에 들러서 장을 보죠.

⑬가짜인 물품. 외국 여행에서 가끔 이것을 파는 곳을 보기도 해요.

⑭아침으로 먹는 밥. 호텔 숙박시 이것 포함여부를 선택할 수 있어요.

년 월 일

숨은
그림찾기
07

추억의 타잔

시작시간 ☐ 시 ☐ 분   종료시간 ☐ 시 ☐ 분

 1. 아래 그림에는 그림 7개가 숨어 있어요.

2. 보기에 나오는 단어를 보고 그림에서 숨은 그림을 찾아 ○ 해 보세요.

보 기	전화 수화기 도끼 확성기
	펜촉 생선뼈 음표 기차길

숨은 글자찾기 07 옛날 영화·드라마

시작시간 ☐ 시 ☐ 분   종료시간 ☐ 시 ☐ 분

🔍 아래 표에는 보기의 단어들이 숨어 있어요.
가로, 세로, 대각선 방향으로 숨어 있는 글자들을 찾아 표시해 보세요.

보기

길소뜸	행진	변강쇠	전우	아낌없이주련다	포청천
만추	빨간마후라	겨울여자	초우	서편제	타잔
아들과 딸	야망의세월	저하늘에도슬픔이	연산군	맥가이버	

야	아	길	포	과	겨	초	맥	들
망	들	청	소	울	전	우	가	아
의	천	늘	여	뜸	빨	간	이	낌
세	하	자	길	소	만	추	버	없
월	저	하	늘	에	도	슬	픔	이
서	우	만	아	동	변	청	뜸	주
맥	편	들	편	행	포	강	천	련
가	과	제	전	진	타	잔	쇠	다
딸	연	산	군	빨	간	마	후	라

년 월 일

틀린
그림찾기
07

극장 구경

시작시간 ☐시 ☐분　　　종료시간 ☐시 ☐분

 1. 양쪽 페이지의 그림을 비교해 보고 틀린 그림 10개를 찾아 오른쪽 페이지에
○ 해 보세요.

2. 회상일기 주제를 보고 그림과 관련한 회상일기를 적어 보세요.

가로세로
낱말퍼즐
07

영화·드라마·배우

년   월   일

시작시간 ☐ 시 ☐ 분   **종료시간** ☐ 시 ☐ 분

✏️ 1. 오른쪽 페이지의 가로문제·세로문제를 읽고, 왼쪽 페이지의 칸에 가로세로
문제의 정답을 적어 보세요.

1)		①		②			③	
				2)				
3)						4)④		
				5)				
6)⑤								⑥
				⑦			7)	
		⑧				⑨		
	8)⑩							
9)					10)			

👵 2. 정답 중에서 가장 기억에 남는 영화·드라마나 배우를 찾아 ○ 해 보세요. 가장
기억에 남는 이유는 무엇인가요?

1) 양반인 이몽룡과 기생 딸 춘향의 사랑 이야기를 다룬 영화예요.

2) '○○의 전성시대'는 동생의 학비를 벌기 위해 서울로 상경한 주인공 시골 아가씨가 식모, 공장, 술집 등에서 일하며 겪는 이야기를 다룬 영화예요.

3) 신성일과 엄앵란이 함께 출연한 1960년대 영화로, 폭력배 서두수와 부잣집 딸 요안나의 사랑 이야기예요.

4) 70~80년대 여배우 트로이카 중 한명으로, '겨울여자' '청실홍실' '사의 찬미' 등에 출연했어요. "아름다운 밤이예요"라고 한 수상 소감으로도 유명하죠.

5) 영화 '흑맥'으로 데뷔한 여배우로, <초우> <미워도 다시 한번>에 출연했어요. 1세대 여배우 트로이카 중 한 명이예요.

6) 드라마 '야망의 세월'에서 꾸숑의 어머니 역할을 했던 여배우예요. 화려한 이미지로 강한 역할을 많이 했어요.

7) 박경리의 소설로 만든 대하드라마로, 여주인공 최서희를 둘러싼 일제 강점기시대의 삶을 그린 작품이예요. 최수지, 김현주가 서희 역할을 맡았었죠.

8) 여주인공 정난정의 파란만장한 삶을 그린 드라마로, 2001~2002년에 방영되었어요. 강수연, 전인화, 도지원 등 여인들이 주인공이었지요.

9) 1975년 방영된 드라마로, 이정길, 고두심, 안재은 등이 주인공이었어요. 가난한 이정길이 회사 사장의 눈에 띄어 사장 딸과 결혼할 것을 권유받죠. 이정길이 가난한 연인 고두심과 사장 딸 사이에서 하는 방황을 그린 드라마예요.

10) 최불암을 비롯한 수사팀에서 범죄를 해결하는 활약상을 그린 드라마

① 1977년 방영이 시작된 귀신 드라마로, 한국의 전설, 설화를 바탕으로 제작되었어요.

② 우리나라 대표 희극배우이자 코미디언으로, '시골영감'이라는 히트곡을 부르기도 했어요. "대단히 감사합니다~"라는 유행어로도 유명했지요.

③ 1940년생, 한국의 엘리자베스테일러라는 별명이 붙은 여배우예요. '황혼열차'로 데뷔하여, '길소뜸' '명자 아끼꼬 쏘냐' 등에 출연했어요.

④ 조선 숙종의 후궁으로 '권력을 향한 요부'라 불리는 여인이예요. 드라마에서 윤여정, 이미숙, 전인화, 김혜수가 이 여인 역할을 했었어요.

⑤ 드라마 '사랑과 야망' '제5공화국'과 영화 '진짜 진짜 미안해'의 남자 주인공이예요. 음악프로 사회를 볼 때 했던 "부탁해요~"는 유행어가 되었지요.

⑥ 70~80년대 여배우 트로이카 중 한명으로, 최초 석사학위를 취득한 여배우였어요. '마지막 겨울' '내가 버린 남자' '심봤다' 등 히트작이 있어요.

⑦ 대표 미남 배우로 선우은숙과 결혼했던 배우예요.

⑧ 허스키한 목소리가 특징인 남자배우로, 주몽에서 모팔모 역할을 맡았어요. 이○○

⑨ 대표적인 홍콩 무술 영화로, 승려들과 소림권법이 다양한 볼거리를 제공했었죠.

⑩ 불우한 운명 속에 태어난 '분이'의 일대기를 그린 드라마로 1972년에 방영된 국민 드라마였죠. 태현실, 송승환, 박주아 등이 주인공이었어요.

숨은 그림찾기 08 설악산 흔들바위

시작시간 ☐시 ☐분   종료시간 ☐시 ☐분

🔍 1. 아래 그림에는 그림 7개가 숨어 있어요.

🔍 2. 보기에 나오는 단어를 보고 그림에서 숨은 그림을 찾아 ○ 해 보세요.

보 기	물고기	집	엄지척	털모자
	서커스 천막		돼지 얼굴	피자 한 조각

숨은 글자찾기 08 관광 명소

시작시간 ☐시 ☐분   종료시간 ☐시 ☐분

🔍 아래 표에는 보기의 단어들이 숨어 있어요.
가로, 세로, 대각선 방향으로 숨어 있는 글자들을 찾아 표시해 보세요.

보기

임진각   속리산   대관령   한계령   호미곶   주왕산   울릉도
올레길   지리산   무등산   내장산   채석강   안면도   충주호   태종대
해인사   도산서원   두물머리   하회마을   보성녹차밭

충	보	임	울	두	물	머	리	관	대
도	주	성	진	각	임	내	준	산	관
릉	종	왕	녹	산	진	충	한	계	령
태	내	장	산	차	각	주	안	태	도
관	종	두	물	머	밭	호	울	면	하
령	무	대	지	녹	무	릉	채	해	회
채	진	리	안	면	도	등	인	석	마
석	산	호	하	산	서	사	산	올	을
강	올	레	미	회	속	리	산	레	강
도	산	서	원	곶	마	충	주	길	레

팔도강산

틀린 그림찾기 08

그땐 그랬던 첨성대

시작시간 [ ]시 [ ]분   종료시간 [ ]시 [ ]분

1. 양쪽 페이지의 그림을 비교해 보고 틀린 그림 10개를 찾아 오른쪽 페이지에 ○ 해 보세요.

2. 회상일기 주제를 보고 그림과 관련한 회상일기를 적어 보세요.

회상일기 우리나라 관광지 중 가장 기억에 남는 곳과 추억을 떠올려 적어 보세요.

팔도강산

 가로세로 낱말퍼즐 **08** 관광 명소

시작시간 ☐ 시 ☐ 분   종료시간 ☐ 시 ☐ 분

✏️ 1. 오른쪽 페이지의 가로문제·세로문제를 읽고, 왼쪽 페이지의 칸에 가로세로 문제의 정답을 적어 보세요.

1)①			②		2)③		④	
3)		⑤	4)⑥			⑦		
			5)		⑧		⑨	
⑩		6)			7)			
			8)	⑪				
9)	⑫		⑬			⑭		
		10)			11)			

👵 2. 정답 중에서 가본 곳을 모두 ○ 해 보세요. 가장 추억에 남는 곳은 어디인가요?

1) 경기도 용인에 있는 야외 민속 박물관으로, 옛날 마을 모습을 볼 수 있어요.

2) 한라산 꼭대기에 있는 분화구에 생긴 호수

3) 전라북도 진안군 진안읍과 마령면에 걸쳐 있는 산으로, 산 이름은 말의 두 귀를 닮았다고 하여 지어졌대요.

4) 경기도 광주시 남한산에 있는 조선시대의 산성

5) 전라북도 진안군에서 시작하여 전라남도를 거쳐 경상남도 하동을 지나 남해로 흘러 들어가는 강으로 제첩국이 유명하죠.

6) ○○화성, 광교호수공원, 삼성전자 본사 등이 있는 경기도의 도시

7) 강원도 고성군 거진읍 화포리에 있는 호수로, 동해안의 호수 가운데 최대 규모 라고 해요. ○○○해수욕장도 유명해요.

8) 전라남도 여수와 제주도 중간에 위치한 섬으로, 이곳 해풍쑥이 좋다고 하죠.

9) 충남 보령시에 있는 유명한 해수욕장으로, 진흙 축제로도 유명한 해수욕장이예요.

10) 경상남도에 있는 섬으로 다랭이마을, 독일마을, 미국마을 등이 있어요.

11) 강원도 강릉시에 있는 바닷가로, 해돋이의 명소입니다.

① 전라북도 전주시에 있는 한옥으로 이루어진 마을

② 강원도 동해안에 있는 항구 도시로 영랑호, 해수욕장, 오징어순대, 젓갈, 닭강정 등이 유명해요.

③ 북한 양강도와 중국 지린성의 경계에 있는 한반도에서 가장 높은 산

④ 전라남도 북부에 있는 대나무가 유명한 지역으로 죽녹원, 소쇄원 등 관광지가 있죠.

⑤ 경기도 포천에 있는 호수로 산중에 묻혀있는 우물같은 호수라는 뜻이 있대요.

⑥ 강원도 춘천시 남산면에 속하는 섬으로 배를 타고 들어가야 해요. 사계절 관광객 으로 붐비는 유원지예요.

⑦ 제주도 서귀포에 있는 유명한 일출봉 이름으로, 사발모양의 분화구가 장관이예요.

⑧ 인천에 있는 큰 섬으로 마니산과 갯벌, 해수욕장 등이 유명해요.

⑨ 강원도 강릉시 저동에 있는 누대로, 관동팔경의 하나예요.

⑩ 부산에 있는 바닷가로 한국 8경에 들어갈 정도로 빼어난 경치와 온천, 해수욕장으로 유명해요.

⑪ ○○새재는 새도 날아서 넘기 힘든 고개란 뜻을 가진 경북에 있는 고개예요.

⑫ 독립기념관이 이곳에 있죠. 호두과자로도 유명한 곳이예요.

⑬ 우리나라 땅끝마을이라고 불리는 곳

⑭ 경상남도 남서부에 있는 군으로 경상도와 전라도의 경계에 있어요. 미스터트롯 정동원의 고향이기도 해요.

추억의 박 터트리기

년 월 일

시작시간 ☐ 시 ☐ 분   종료시간 ☐ 시 ☐ 분

🔍 1. 아래 그림에는 그림 7개가 숨어 있어요.

2. 보기에 나오는 단어를 보고 그림에서 숨은 그림을 찾아 ○ 해 보세요.

보기	공갈 젖꼭지	스마트폰	토끼
	숫자 8	나비	피아노 건반	빗자루

숨은 글자찾기 09 운동 경기 찾기

시작시간 ☐ 시 ☐ 분　　　종료시간 ☐ 시 ☐ 분

🔍 아래 표에는 보기의 단어들이 숨어 있어요.
가로, 세로, 대각선 방향으로 숨어 있는 글자들을 찾아 표시해 보세요.

보기

봅슬레이 레슬링 태권도 유도 소프트볼 골프 핸드볼 볼링 승마
마라톤 하키 테니스 요트 스케이트 역도 카누 쇼트트랙 체조
당구 양궁 복싱 육상 스쿠버다이빙 체조 탁구 펜싱 스키점프

봅	슬	레	이	복	태	극	탁	소
펜	싱	슬	싱	크	권	구	골	프
마	볼	링	럭	유	도	쇼	트	트
승	라	비	하	프	트	핸	드	볼
멀	승	톤	키	트	테	체	당	구
리	마	양	랙	역	니	력	조	요
뛰	미	궁	도	구	스	케	이	트
육	도	스	쿠	버	다	이	빙	카
기	상	조	스	키	점	프	누	구

틀 린 그림찾기 09
88 서울올림픽대회

시작시간 ☐ 시 ☐ 분   종료시간 ☐ 시 ☐ 분

1. 양쪽 페이지의 그림을 비교해 보고 틀린 그림 10개를 찾아 오른쪽 페이지에 ○ 해 보세요.

2. 회상일기 주제를 보고 그림과 관련한 회상일기를 적어 보세요.

회상일기   88올림픽에서 가장 인상 깊었던 경기나 선수, 장면 등을 적어 보세요.

운 동 · 올 림 픽

**가로세로
낱말퍼즐
09** 운동경기

시작시간 ☐ 시 ☐ 분   종료시간 ☐ 시 ☐ 분

✏️ 1. 오른쪽 페이지의 가로문제·세로문제를 읽고, 왼쪽 페이지의 칸에 가로세로
　 문제의 정답을 적어 보세요.

1)		①		②		2)		③
				3)				
4) ④						5) ⑤		
	6) ⑥		⑦					⑧
			7)					
		8)					⑨	
⑩				9)		⑪		10)
11)						12)		

  2. 정답 중에서 추억이 있는 단어가 있는지 찾아 보세요. 어떤 추억이 있으실
　 까요?

1) 호랑이를 모델로 한 88서울올림픽 공식 마스코트 이름

2) 올림픽 경기에서 2등을 하면 이것을 목에 걸어주어요.

3) 양궁 경기에서 활을 당겼다 놓으면 이것이 날아가서 과녁에 꽂히죠.

4) 올림픽 경기에서 3등을 하면 목에 걸어주는 것이예요.

5) 운동회에서 커다란 공을 굴리는 게임을 '공○○○' 라고 해요.

6) 경기를 할 수 있게 시설을 갖추어 놓은 곳을 이것이라고 해요. 올림픽이 열린 곳을 '올림픽○○○', 축구 경기가 열리는 곳을 '축구○○○'이라고 하죠.

7) 대한민국 국가. 우리나라 선수가 1등을 한 올림픽 시상식에서 이것이 울려 퍼지죠.

8) 수영, 사이클, 마라톤 세 종목을 연달아 겨루는 경기를 '○○ 3종 경기'라고 해요.

9) 운동경기에서 우승을 하거나 메달을 따고 돌아온 선수단들은 공항에서부터 이것을 받죠. 반갑게 맞아 후하게 대접한다는 뜻이예요.

10) 철봉, 안마, 도마, 곤봉 등 맨손이나 기구를 이용해서 하는 운동

11) 42.195km를 달리는 경기로 황영조, 이봉주 선수가 대표 선수예요.

12) 운동 경기에서 우승을 놓고 최종 승부를 가리는 시합을 이것이라고 해요.

①4명이 한 조가 되어 차례로 배턴을 주고받으면서 달리는 육상 경기예요.

②올림픽을 상징하는 불을 들고 운반하는 것을 이것이라고 해요.

③조깅, 오래○○○처럼 달리는 운동을 말해요.

④겨울에 열리는 올림픽을 '○○올림픽'이라고 해요.

⑤쇠로 된 둥근 테를 굴리는 아이들 장난감으로, 88올림픽 개막식에서 아이가 이것을 굴리며 나와서 화제가 되었어요.

⑥이기려고 서로 겨루는 것을 이것이라고 하죠

⑦장애가 있는 선수들이 참가하는 올림픽을 '○○○ 올림픽'이라고 해요.

⑧88올림픽에서 1위를 한 나라로 지금은 러시아로 불려요.

⑨단체끼리 치루는 경기를 말해요.

⑩사람이 말을 타고 장애물을 넘거나 여러 가지 동작을 하는 경기예요.

⑪맞서서 승패를 가리는 것을 말해요. 불꽃 튀는 이것을 벌인다는 말도 있죠.

숨은
그림찾기
10

낫 놓고 기역 자도 모른다

년   월   일

시작시간 ☐ 시 ☐ 분   종료시간 ☐ 시 ☐ 분

 1. 아래 그림에는 그림 7개가 숨어 있어요.

2. 보기에 나오는 단어를 보고 그림에서 숨은 그림을 찾아 ○ 해 보세요.

보 기		오리발 종이 비행기 배
		남성 삼각팬티 우산 책 바늘

속담·사자성어

년 월 일

시작시간 ☐ 시 ☐ 분   종료시간 ☐ 시 ☐ 분

아래 표에는 보기의 단어들이 숨어 있어요.
가로, 세로, 대각선 방향으로 숨어 있는 글자들을 찾아 표시해 보세요.

보기

문전성시 금상첨화 반신반의 고진감래 동문서답 전화위복 진퇴양난
새발의피 시작이반 지성이면감천 전전긍긍 파죽지세 그림의떡

전	전	긍	긍	전	시	위	복	뒤
화	등	동	문	서	답	작	떡	끝
위	그	지	파	전	동	문	이	이
복	림	성	금	죽	성	서	답	반
지	의	이	시	상	지	시	새	고
성	떡	면	파	작	첨	발	진	감
고	진	감	래	죽	의	화	퇴	래
긍	긍	천	파	피	지	전	양	반
이	반	신	반	의	전	세	난	신

틀린 그림찾기 **10**

동상이몽

년   월   일

시작시간 ☐ 시 ☐ 분   종료시간 ☐ 시 ☐ 분

🔍 1. 양쪽 페이지의 그림을 비교해 보고 틀린 그림 10개를 찾아 오른쪽 페이지에 ○ 해 보세요.

2. 회상일기 주제를 보고 그림과 관련한 회상일기를 적어 보세요.

회상일기 자주 쓰시는 속담이나 사자성어는 어떤 것인지 적어 보세요.

년   월   일

가로세로 낱말퍼즐 10

사자성어

시작시간 [ ] 시 [ ] 분   종료시간 [ ] 시 [ ] 분

 1. 오른쪽 페이지의 가로문제·세로문제를 읽고, 왼쪽 페이지의 칸에 가로세로 문제의 정답을 적어 보세요.

1) ①			②		③		2)	④
			3)			⑤		
4)								
		5) ⑥			⑦		6)	
7) ⑧					8)			
		9) ⑨				⑩		
10)					11)			

 2. 정답 사자성어 중에서 가장 많이 사용했던 사자성어를 찾아보세요.

1) 날마다 달마다 발전하고 성장할 때 이것 한다고 하지요.

2) 여러 차례 죽을 고비 끝에 겨우 살아났을 때 '○○일생'했다고 해요.

3) 속세를 떠나 편안하고 조용하게 사는 삶을 말해요.

4) 뜻한 일을 이루어 만족한 모습을 보고 '의기○○'하다고 하죠.

5) 동서양, 예와 지금을 통틀어 하는 말. "○○○○을 막론하고~"란 말을 많이 쓰죠.

6) 물가나 금액이 한없이 오를 때 '○○부지'로 뛴다고 해요.

7) 사람이면 누구나 가지는 보통의 마음이나 감정. 어려운 사람을 돕는 것은 ○○○○ 이죠.

8) 사람이 좋은 방향으로 바뀌어 전혀 다른 사람이 되었을 때 이것 했다고 해요.

9) 차마 눈뜨고 보지 못할 참상을 볼 때 '○○규환'이라고 하죠.

10) 어떤 계기를 통해 지금까지 가졌던 생각과 자세를 완전히 바꾸어 새롭게 마음을 먹는 것을 이것을 했다고 하죠.

11) 베풀어 준 은혜를 잊고 배신한 사람을 보고 이것 한 사람이라고 하죠.

① 한 가지 일로 두 가지 이익을 얻는 것을 말해요.

② 어른과 아이 사이에는 순서가 있음을 뜻해요.

③ '○○해지'란 매듭을 묶은 사람이 매듭을 풀어야한다는 뜻이예요. 즉 일을 저지른 사람이 책임지고 일을 마쳐야한다는 뜻이죠.

④ 모든 일은 결국 바른 이치대로 돌아간다는 뜻

⑤ 잘못한 사람이 오히려 화를 내는 경우를 말해요. '○○하장'도 유분수란 말도 있지요.

⑥ 같은 병을 얻은 사람, 즉 힘든 처지에 있는 사람들끼리 서로 가엾게 여긴다는 뜻 이예요.

⑦ 출세하여 사람들의 환영을 받으며 고향으로 개선하는 모습을 말해요.

⑧ 얼굴은 사람의 얼굴이나 마음은 짐승과 같다는 뜻이예요. ○○○○의 범죄를 저지른 사람을 가끔 뉴스에서 보게 되어요.

⑨ 자기 논에 물 대기라는 뜻으로, 자신에게만 이롭도록 생각하거나 행동할 때를 보고 '○○인수'라고 해요

⑩ 죽은 뒤에라도 은혜를 잊지 않고 갚는 것을 '결초○○'이라고 하죠.

추억의 퀴즈
테마 워크북
1

정답지

정답 - 학창시절

p. 8
숨은그림찾기 - 추억의 만원버스

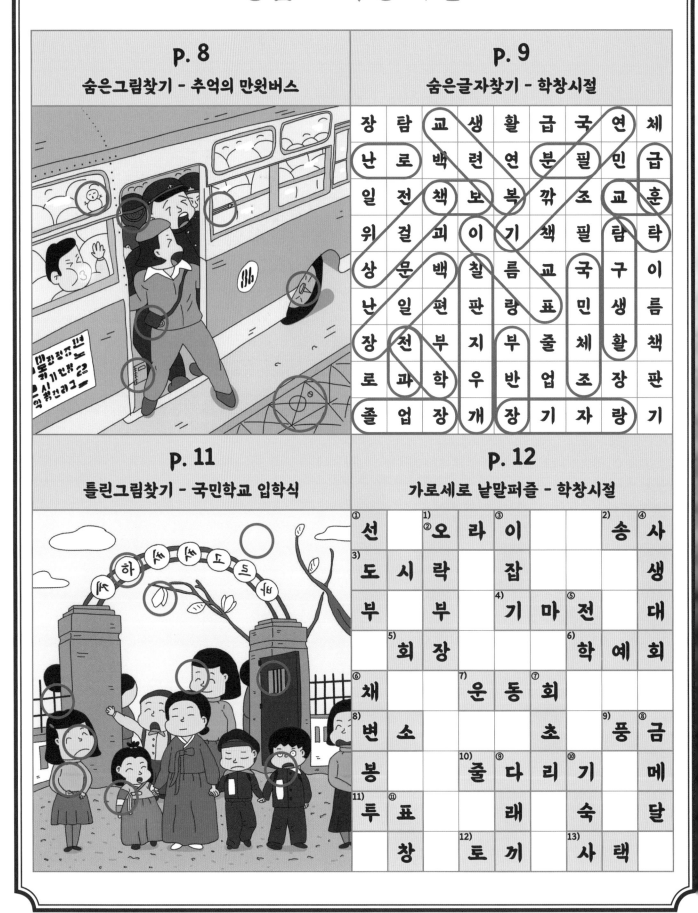

p. 9
숨은글자찾기 - 학창시절

장	람	교	생	활	급	국	연	체
난	로	백	련	연	분	필	민	급
일	전	책	보	복	깍	조	교	훈
위	걸	괴	이	기	책	필	람	탁
상	문	백	찰	름	교	국	구	이
난	일	편	판	랑	표	민	생	름
장	전	부	지	부	줄	체	활	책
로	과	학	우	반	업	조	장	판
졸	업	장	개	장	기	자	랑	기

p. 11
틀린그림찾기 - 국민학교 입학식

p. 12
가로세로 낱말퍼즐 - 학창시절

① 선	1) ② 오	라	이			2) 송	④ 사
3) 도	시	락		잡			생
부		부	4) 기	마	⑤ 전		대
	5) 회	장			6) 학	예	회
⑥ 채		운	동	⑦ 회			
8) 변	소			초		9) 풍	⑧ 금
봉		10) 줄	⑨ 다	리	⑩ 기		메
11) 투	⑪ 표		래		숙		달
	창		12) 토	끼		13) 사	택

정답 - 먹거리

p. 14
숨은그림찾기 - 추억의 빵집

p. 15
숨은글자찾기 - 먹거리

배	꽈	옥	군	쫀	기	옥	쫀	단
미	밤	배	밤	고	수	왕	디	별
단	숫	촌	기	수	구	팥	사	사
팥	미	디	막	붕	어	마	빵	랑
빵	숫	기	불	걸	붕	어	단	미
종	가	량	오	혜	리	어	술	숫
합	식	란	미	숫	가	루	빵	오
품	종	합	선	물	세	트	단	란
군	고	구	식	혜	마	세	군	다

p. 17
틀린그림찾기 - 귀한 바나나

p. 18
가로세로 낱말퍼즐 - 먹거리

1)①보	리			2)②아	폴	로
름	3)③바	람		이		
4)달	고	나	5)카	스	테	④라
	나		케			면
⑤메			키			⑥번
6)밀	전	병	⑦건			데
묵		7)⑧호	빵		8)빵	⑨튀	기
	9)⑩참	쌀	떡	⑪강		밥
	죽		10)수	정	과	

정답 – 명절·절기

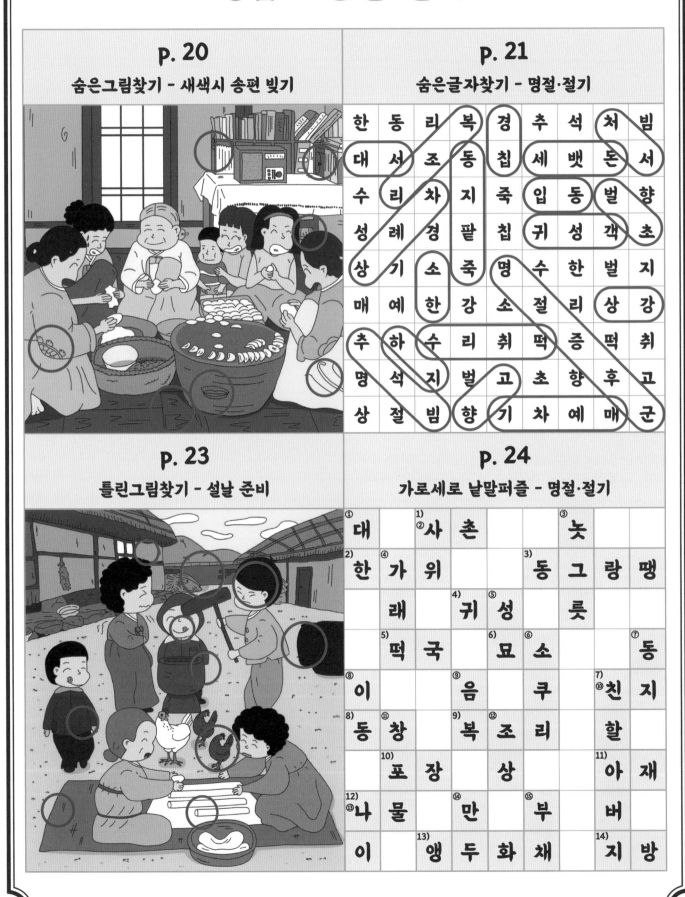

p. 20
숨은그림찾기 – 새색시 송편 빚기

p. 21
숨은글자찾기 – 명절·절기

한	동	리	복	경	추	석	처	빔
대	서	조	동	칩	세	뱃	돈	서
수	리	차	지	죽	입	동	벌	향
성	례	경	팥	칩	귀	성	객	초
상	기	소	죽	명	수	한	벌	지
매	예	한	강	소	절	리	상	강
추	하	수	리	취	떡	증	떡	취
명	석	지	벌	고	초	향	후	고
상	절	빔	향	기	차	예	매	군

p. 23
틀린그림찾기 – 설날 준비

p. 24
가로세로 낱말퍼즐 – 명절·절기

① 대	1) ② 사	촌			③ 놋	
2) 한	④ 가	위		3) 동	그	랑	땡
래		4) 귀	⑤ 성		룻	
5) 떡	국		6) 묘	⑥ 소		⑦ 동
⑧ 이		9) 음		쿠	7) ⑩ 친	지
8) 동	⑪ 창	9) 복	⑫ 조	리	할	
	10) 포	장	상		11) 아	재
12) ⑬ 나	물	⑭ 만		⑮ 부	버	
이	13) 앵	두	화	채	14) 지	방

정답 - 추억의 놀이

p. 26
숨은그림찾기 - 쌩쌩 얼음 썰매

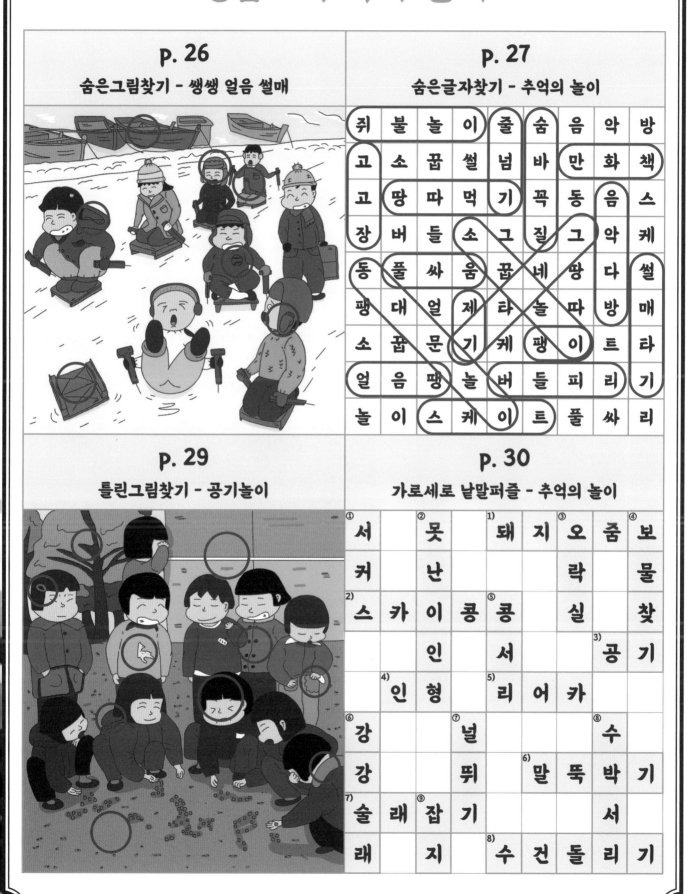

p. 27
숨은글자찾기 - 추억의 놀이

쥐	불	놀	이	줄	숨	음	악	방
고	소	꿉	썰	넘	바	만	화	책
고	땅	따	먹	기	꼭	동	음	스
장	버	들	소	그	질	그	악	케
동	풀	싸	움	꿉	세	땅	다	썰
팽	대	얼	제	타	놀	따	방	매
소	꿉	문	기	케	팽	이	트	타
얼	음	땅	놀	버	들	피	리	기
놀	이	스	케	이	트	풀	싸	리

p. 29
틀린그림찾기 - 공기놀이

p. 30
가로세로 낱말퍼즐 - 추억의 놀이

①서		②못	1)돼	지	③오	줌	④보
커		난			락		물
2)스	카	이	콩	⑤콩	실		찾
		인		서		3)공	기
	4)인	형		5)리	어	카	
⑥강			⑦널			⑧수	
강			뛰		6)말	뚝	박	기
7)술	래	⑨잡	기				서
래		지		8)수	건	돌	리	기

정답 - 추억의 노래·가수

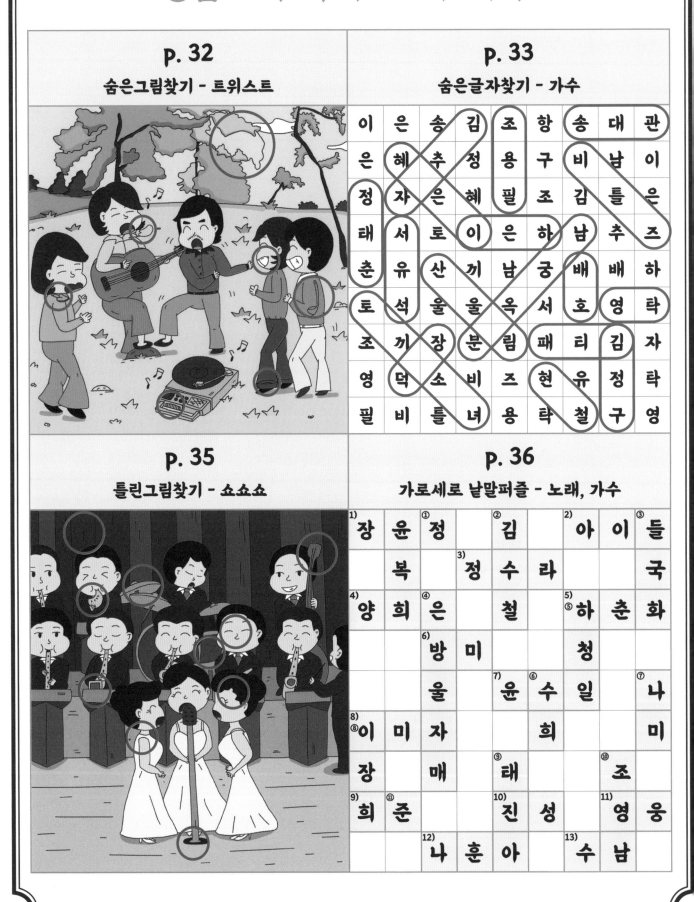

p. 32
숨은그림찾기 - 트위스트

p. 33
숨은글자찾기 - 가수

이	은	송	김	조	항	송	대	관
은	혜	추	정	용	구	비	남	이
정	자	은	혜	필	조	김	틀	은
태	서	토	이	은	하	남	추	즈
춘	유	산	끼	남	궁	배	배	하
토	석	울	울	옥	서	호	영	락
조	끼	장	분	림	패	티	김	자
영	덕	소	비	즈	현	유	정	락
필	비	틀	녀	용	락	철	구	영

p. 35
틀린그림찾기 - 쇼쇼쇼

p. 36
가로세로 낱말퍼즐 - 노래, 가수

	¹⁾장	윤	①정		²김		²⁾아	이	③들
		복		³⁾정	수	라			국
	⁴⁾양	희	④은		철		⁵⁾하	춘	화
			⁶⁾방	미			청		
			울		⁷⁾윤	⑥수	일		⑦나
	⁸⁾이	미	자			희			미
	장		매		⑨태			⑩조	
	⁹⁾희	⑪준			¹⁰⁾진	성		¹¹⁾영	웅
		¹²⁾나	훈	아			¹³⁾수	남	

정답 - 그 시절 여행

p. 38
숨은그림찾기 - 계곡 물놀이

p. 39
숨은글자찾기 - 여행

렌	드	세	트	피	서	철	드	렌
패	드	라	게	렁	신	여	라	코
가	키	단	이	일	행	혼	이	펠
이	렌	지	풍	사	주	해	브	드
트	관	트	콘	놀	가	이	외	관
람	렁	해	도	가	이	드	람	여
크	피	외	서	철	전	료	호	행
신	혼	여	행	호	망	공	항	렐
버	스	행	트	렁	차	사	진	사

p. 41
틀린그림찾기 - 그 시절 피서

p. 42
가로세로 낱말퍼즐 - 여행

	¹⁾둘	레	①길			²⁾당	②일	치	③기
			³⁾거	제	④도		정		념
⁴⁾돗	⑤자	리		⁵⁾시	차			⁶⁾소	품
	유			락		⑥산			
	⁷⁾여	독			⁸⁾⑦여	행	⑧비		
⁹⁾⑨일	행		¹⁰⁾입	⑩장	권		¹¹⁾자	⑪연	
	등			거		⑫마		착	
¹²⁾석	⑬가	탑		¹³⁾리	⑭조	트			
	품				식		¹⁴⁾환	전	

정답 - 옛 영화·드라마

p. 44
숨은그림찾기 - 추억의 타잔

p. 45
숨은글자찾기 - 추억의 영화·드라마

야	아	길	포	과	겨	초	맥	들
망	들	청	소	울	전	우	가	아
의	천	늘	여	뜸	빨	간	이	낌
세	하	자	길	소	만	추	버	없
월	저	하	늘	에	도	슬	픔	이
서	우	만	아	동	변	청	뜸	주
맥	편	들	편	행	포	강	천	런
가	과	제	전	진	라	잔	쇠	다
딸	연	산	군	빨	간	마	후	라

p. 47
틀린그림찾기 - 극장 구경

p. 48
가로세로 낱말퍼즐 - 영화·드라마·배우

1)춘	향	①전		②서			③김	
		설		2)영	자		지	
3)맨	발	의	청	춘		4)④장	미	희
		고			5)문	희		
6)⑤이	휘	향				빈		⑥유
덕				⑦이			7)토	지
화		⑧계		영		⑨소		인
	8)⑩여	인	천	하		림		
9)귀	로				10)수	사	반	장

정답 - 팔도강산

p. 50
숨은그림찾기 - 설악산 흔들바위

p. 51
숨은글자찾기 - 관광 명소

충	보	임	울	두	물	머	리	관	대
도	주	성	진	각	임	내	준	산	관
릉	종	왕	녹	산	진	충	한	계	령
태	내	장	산	차	각	주	안	태	도
관	종	두	물	머	밭	호	울	면	하
령	무	대	지	녹	무	릉	채	해	회
채	진	리	안	면	도	등	인	석	마
석	산	호	하	산	서	사	산	올	을
강	올	레	미	회	속	리	산	레	강
도	산	서	원	곶	마	충	주	길	레

p. 53
틀린그림찾기 - 그땐 그랬던 첨성대

p. 54
가로세로 낱말퍼즐 - 관광 명소

1) ① 한	국	민	2) 속	촌		2) ③ 백	록	4) 담
옥			초				두	양
3) 마	이	5) 산		4) ⑥ 남	한	산	⑦ 성	
을		정			이		산	
		호		5) 섬	진	8) 강		9) 경
10) 해		6) 수	원			7) 화	진	포
운				8) 거	⑪ 문	도		대
9) 대	⑫ 천		13) 해		경		⑭ 하	
	안		10) 남	해		11) 정	동	진

추억의 테마 워크북 - 정답지

정답 - 운동·올림픽

p. 56
숨은그림찾기 - 추억의 박 터트리기

p. 57
숨은글자찾기 - 운동 경기 찾기

봄	슬	레	이	복	태	극	락	소
펜	싱	슬	싱	크	컨	구	골	프
마	볼	링	럭	유	도	쇼	트	트
승	라	비	하	프	트	핸	드	볼
멀	승	톤	키	트	테	체	당	구
리	마	양	랙	역	니	럭	조	요
뛰	미	궁	도	구	스	케	이	트
육	도	스	쿠	버	다	이	빙	카
기	상	조	스	키	점	프	누	구

p. 59
틀린그림찾기 - 88 서울올림픽대회

p. 60
가로세로 낱말퍼즐 - 운동 경기

1)호	돌	①이		②성		은	메	③달
		어		3)화	살			리
4)④동	메	달		봉		5)⑤굴	리	기
계		리		송		렁		
	6)⑥경	기	⑦장			쇠		⑧소
		쟁	7)애	국	가			련
		8)철	인				⑨단	
10)승				9)환	⑪대		10)체	조
11)마	라	톤			12)결	승	전	

정답 - 속담·사자성어

p. 62 숨은그림찾기 - 낫 놓고 기역 자도 모른다

p. 63 숨은글자찾기 - 속담·사자성어

p. 65 틀린그림찾기 - 동상이몽

p. 66 가로세로 낱말퍼즐 - 사자성어

저/자/소/개

윤소영 on-edu@nate.com

건국대학교 교육대학원에서 학습·진로컨설팅 및 평가과정을 공부하며 유아에서 노인에 이르는 전 생애에 걸친 다양한 교육의 필요성을 더욱 절감하게 되었다. 현재 (주)한국실버교육협회 대표이사, (주)하자교육연구소 및 하자교육컨설팅 대표, 한국영상대학교 외래교수로 재직하면서 치매예방 및 노인을 위한 교재, 교구를 개발·보급하고 있다. 현재 장기요양기관 심사위원으로도 활동하고 있으며, 치매예방 온라인교육 플랫폼 인지넷을 운영하고 있다. 주요 저서로는 『치매예방과 관리』『치매예방을 위한 뇌훈련 실버인지놀이 워크북 01권, 02권, 03권』『치매예방을 위한 회상활동 추억 색칠하기+인지 워크북』『치매예방을 위한 회상활동 추억 색칠하기+인지 워크북 –추억놀이편』『치매예방을 위한 회상활동 추억 색칠하기+인지 워크북 –추억놀이편 플러스』『치매예방을 위한 뇌훈련 실버인지 속담놀이 워크북』『치매예방 두뇌 트레이닝 추억의 퀴즈 테마 워크북 2권』『노인회상 이야기카드』『마음읽기 감정카드』『추억놀이 회상카드』『실전 전래놀이 운영 프로그램』『재미있고 실용적인 시니어 책놀이 운영 프로그램』『실버 인지미술 운영 프로그램』『자녀에게 남기는 인생 기록 부모 자서전』『공감대화를 위한 사진 질문카드』등이 있다.

치매예방 두뇌 트레이닝

추억의 퀴즈 테마 워크북 1

1판 1쇄 발행 ● 2021년 4월 17일
1판 6쇄 발행 ● 2023년 12월 15일

지 은 이 ● 윤소영
그   림 ● 김은진
펴 낸 곳 ● **(주)한국실버교육협회**
            경기도 성남시 분당구 운중로 122 601호
디 자 인 ● (주)경상매일신문 디자인사업국
구입문의 ● 02-313-0013
홈페이지 ● www.ksea.co.kr
            www.injinet.kr
이 메 일 ● ksea7777@daum.net
I S B N ● 979-11-973079-2-8

정가 12,500원